LECTURE EN FRANÇAIS FACILE

La Parure

Niveau 1

Guy de Maupassant

ADAPTÉ EN FRANÇAIS FACILE
PAR ANNIE BAZIN

CLE
INTERNATIONAL

Sommaire

Adaptation, d'après la nouvelle de Guy de Maupassant,
La Parure (1884)
Édition La Librairie Générale Française, 1995, texte intégral.

Guy de Maupassant
(1850-1893)

Il naît le 5 août 1850 dans le Nord-Ouest de la France, en Normandie. Adolescent, il aime déjà écrire. À partir de 1873, le célèbre écrivain Gustave Flaubert[1], ami de sa mère, lui donne des conseils. Il rencontre d'autres écrivains célèbres : Émile Zola, Alphonse Daudet, etc.

En 1879, il travaille au ministère de l'Instruction publique[2] à Paris. Puis, en 1880, sa nouvelle* *Boule-de-suif* obtient un grand succès. Il change de travail et devient écrivain. Entre 1880 et 1890, il publie 300 contes et nouvelles ainsi que 6 romans.

Ensuite, il fait des voyages en bateau puis une maladie nerveuse provoque chez lui des hallucinations, l'obsession de la mort et un grand besoin de solitude. Il écrit alors des nouvelles fantastiques, essaie de se suicider* et devient fou. Il meurt dans un asile* le 6 juillet 1893.

---

1. Gustave Flaubert (1821-1880) : célèbre écrivain français né en Normandie. Auteur de *Madame Bovary*, *l'Éducation sentimentale*, *Salammbô*, *Trois contes*, *La Tentation de Saint-Antoine*, *Bouvard et Pécuchet*.
2. Le ministère de l'Instruction publique s'appelle aujourd'hui ministère de l'Éducation nationale.

La Parure (1883)

Genre

Nouvelle

L'histoire

Mathilde Loisel, une belle jeune femme née dans une famille modeste★ de province, vit avec son mari qui travaille dans l'administration. Elle est malheureuse à cause du manque d'argent et rêve de vivre dans le luxe.

Un soir, son mari reçoit une invitation du ministère de l'Instruction publique pour aller à un grand bal★. Mathilde est triste parce qu'elle n'a ni belle robe, ni beaux bijoux.

Pour être la plus belle à cette fête, elle et son mari empruntent★ beaucoup d'argent. Mathilde est alors la plus heureuse des femmes, mais seulement pour un soir parce qu'une disparition va détruire leur vie.

Thèmes principaux

La beauté, l'argent, les dettes, la misère.

Mathilde Loisel
Très jolie jeune femme née
dans une famille modeste
de province.

Monsieur Loisel
Mari de Mathilde, petit employé
au ministère de l'Instruction
publique.

Jeanne Forestier
Jolie jeune femme, amie
de Mathilde, bourgeoise
de province.

Les mots suivis d'un astérisque (*) sont expliqués dans le lexique, page 30.

PREMIÈRE PARTIE

L'invitation

Mathilde Loisel est une très jolie jeune femme née dans une famille qui n'a pas beaucoup d'argent. Ses parents sont employés dans l'administration et ils la marient à un employé de l'Instruction publique.

Mathilde est très élégante et gracieuse*. Elle ressemble à une riche dame de la haute bourgeoisie -ou de l'aristocratie- et souffre* de ne pas vivre dans le luxe. Elle est triste de voir que sa femme de ménage* n'a que de vieux fauteuils à nettoyer dans son logement* trop petit. Alors Mathilde rêve de beaux meubles, de beaux rideaux, d'un grand appartement, d'amis riches et instruits*, de plats délicieux, de belles robes et de beaux bijoux. Elle pense qu'elle est faite pour la beauté et la séduction. Elle a besoin de plaire. Si elle pleure souvent pendant des jours entiers, c'est parce qu'elle ne possède ni les richesses ni la vie qu'elle désire.

Un soir, son mari rentre à la maison très heureux.

Mathilde lit :

Triste, Mathilde dit à M. Loisel :

Je ne peux pas y aller.

Monsieur Loisel ne comprend pas la réaction de son épouse.
– Tu ne sors jamais ! Cette soirée est une bonne occasion pour s'amuser ! lui dit-il. C'est difficile d'obtenir une invitation officielle, tout le monde veut être invité !

Elle regarde son mari d'un air méchant.
– Tu ne comprends rien ! Bien sûr que je veux aller à cette soirée mais je ne le peux pas ! lui répond-elle, énervée★.
– Pourquoi ? demande-t-il, étonné★.
– Mais parce que je n'ai pas de beaux vêtements !

Monsieur Loisel n'a pas pensé à ce détail. Cependant, il sait combien sa femme aime être belle. Il se sent un peu coupable parce qu'il ne gagne pas assez d'argent pour offrir de beaux vêtements à son épouse★, mais il cache ce sentiment.
– La robe que tu mets quand tu vas au théâtre me semble très bien ! lui dit-il sans conviction★.

Soudain, il se tait. Mathilde, sa belle Mathilde, pleure. Deux grosses larmes descendent lentement de ses yeux vers sa bouche.

La Parure

Elle sèche* ses larmes, contrôle son émotion et lui répond calmement :
– Je pleure parce que je n'ai pas de robe assez belle pour cette fête. Comme je ne peux pas y aller moi-même, donne cette invitation à ton collègue ; sa femme aura sûrement de plus beaux vêtements que moi.

Monsieur Loisel est très triste.
– Mathilde, combien coûte une robe convenable mais bon marché* ? demande le brave* homme.

Elle réfléchit quelques secondes. « Combien puis-je demander à mon pauvre mari ? se dit-elle. Si je demande trop, il va refuser. »

Enfin, elle se décide à répondre avec hésitation :

Avec quatre cents francs[1], je peux trouver une robe correcte.

---

1. Le « Franc germinal » créé sous la Révolution française de 1789 représente environ 2,90 euros. 400 francs de l'époque représentent environ 1 158 euros. Loisel gagne environ 6 097 euros par an. Mathilde lui demande donc beaucoup d'argent pour sa robe.

M. Loisel devient très pâle* car c'est le prix du fusil[1] qu'il rêve de s'acheter. Mais il aime beaucoup sa femme. «Oublions le fusil!», pense-t-il.
– D'accord. Je te donne quatre cents francs pour t'acheter une nouvelle robe mais j'espère qu'elle sera très belle! dit-il à Mathilde.

Le jour de la fête approche. Sa robe est prête mais Madame Loisel est triste, inquiète.

Un soir, son mari lui dit:
– Que se passe-t-il? Tu es bizarre* depuis trois jours.

Elle lui répond:
– Je n'ai pas de bijoux. Je vais avoir l'air* pauvre. Je crois que je préfère ne pas aller à cette fête.

Monsieur Loisel est désolé. Il lui répond:
– Tu vas mettre un collier de fleurs. C'est très chic à cette saison. Pour 10 francs[2] tu peux avoir deux ou trois roses magnifiques.

Mathilde n'est pas convaincue.
– Non, je ne veux pas y aller. Il n'y a rien de plus horrible que d'avoir l'air pauvre au milieu de femmes riches!

Soudain son mari a une idée:
– Va chez ton amie madame Forestier et demande-lui de te prêter* des bijoux. C'est une bonne amie, elle va sans doute accepter.

Mathilde pousse un cri de joie:
– C'est vrai, quelle bonne idée!

Le lendemain, elle va chez son amie et lui raconte son histoire.

---

1. À cette époque, beaucoup d'hommes pratiquent la chasse le dimanche, pour le plaisir, entre amis.
2. 29 euros.

Madame Forestier ouvre la porte de son armoire, prend un grand coffret★, l'apporte, l'ouvre et dit à madame Loisel :
– Choisis, ma chère.

Mathilde voit d'abord des bracelets, puis des colliers de perles, des chaînes en or, des pierreries, des boucles d'oreilles, etc. Elle essaye toutes les parures★ devant le miroir, hésite, veut toutes les garder. Elle demande toujours :
– Tu n'as rien d'autre ?
– Mais si. Cherche. Je ne sais pas ce que tu veux.

Tout à coup, Mathilde voit, dans une jolie boîte noire, une magnifique rivière de diamants[1]. Son cœur se met à battre comme un fou. Ses mains tremblent quand elle prend le beau collier. Elle l'attache autour de son cou et reste en extase★ devant elle-même.

Mathilde embrasse fort son amie, puis s'enfuit★ avec son trésor.

_____

1. Une rivière de diamants : collier de diamants.

Pour comprendre la première partie

Complétez le résumé avec les mots suivants : *l'argent, amie, riche, collier, bal, diamants, invitation*.

Mathilde Loisel souffre de ne pas être ....

Un soir, son mari apporte une .... officielle

pour participer à un bal chez le Ministre de l'Instruction publique.

Mathilde n'a pas de robe assez belle pour aller à ce bal.

Monsieur Loisel lui donne .... économisé

pour acheter un fusil. Mais Mathilde ne peut toujours pas aller

au .... parce qu'elle n'a pas de bijoux.

Heureusement, son ...., madame Forestier,

lui prête un très beau .... : une rivière de

....

Vrai ou faux ?

	VRAI	FAUX
a. Monsieur et madame Loisel ne sont pas riches.	❑	❑
b. Monsieur Loisel économise de l'argent pour acheter des bijoux à sa femme.	❑	❑
c. Madame Forestier est l'amie de Mathilde.	❑	❑
d. Madame Forestier ne veut pas prêter ses bijoux à Mathilde.	❑	❑
e. Mathilde a besoin de plaire.	❑	❑

Entourez les dessins et les mots qui représentent des bijoux.

un collier – une écharpe – un pantalon – un bracelet –

des chaussures – une chaîne en argent – des perles –

une cravate – une robe – un balai – une bague –

une chaise – des boucles d'oreilles – un ordinateur –

un diamant – une casserole – une montre

Charade.

Mon premier est un chiffre.
Mon deuxième signifie *rapidement*.
Mon troisième est le contraire de *debout*.
Mon quatrième est le verbe *avoir* à la troisième personne du pluriel.
Mon tout change la vie des Loisel : ....

DEUXIÈME PARTIE

Le bal

Le jour de la fête arrive enfin. Mathilde est la plus jolie de toutes les invitées. Tous les hommes la regardent. Son bonheur est immense, inoubliable. À minuit, monsieur Loisel s'endort dans un petit salon pendant que son épouse danse, souriante, folle de joie.

À quatre heures, le bal va bientôt finir. Mathilde décide de partir. Dehors, il fait un peu froid et la jeune femme n'a pas de fourrure* à mettre sur sa robe. Son mari pose sur ses épaules un modeste manteau un peu usé*. Elle a honte.

Partons vite.

Attends-moi ici. Tu vas attraper froid ! Je vais appeler un fiacre[1].

---

1. Un fiacre : petite voiture à cheval qui sert de taxi.

Mais Mathilde n'écoute pas son mari. Elle court dans la rue. Personne ne doit voir son vieux manteau !

Malheureusement, il n'y a pas de fiacre libre dans la rue. Le couple se met à marcher, à marcher et trouve enfin une vieille voiture à cheval qui les ramène à la maison.

Arrivée dans sa chambre, Mathilde se regarde dans le miroir. Elle enlève le vieux manteau qui couvre ses épaules.

Je, je… je n'ai plus ma rivière de diamants !

Quoi !…

Ce n'est pas possible !

Tous les deux cherchent partout, sur la robe, dans les poches du vieux manteau pour retrouver le collier. Mais ils ne le retrouvent pas !

– Il est sûrement dans la salle de bal, dit le mari.

– Non, mais il est peut-être dans la voiture à cheval. As-tu le numéro ? demande madame Loisel.

– Non, et toi ? continue l'époux de plus en plus inquiet.

– Moi non plus, répond la jeune femme, les larmes aux yeux.

– Je vais refaire le trajet★ à pied. Avec un peu de chance, je vais retrouver ta rivière de diamants, dit monsieur Loisel pour se rassurer★ et rassurer sa femme.

Il sort dans la nuit froide pendant que Mathilde reste sans force, incapable d'enlever sa robe ou de penser. Elle s'assoit sur une chaise, le regard vide.

Pour comprendre la deuxième partie

Complétez le résumé avec les mots suivants : *manteau, ramène, rivière de diamants, à pied, enlève, voiture, parure.*

Mathilde a beaucoup de succès au bal. Elle est très belle. Sa robe et sa .... sont magnifiques. Elle est enfin heureuse. À quatre heures du matin, les Loisel veulent rentrer chez eux. Il fait un peu froid. Mathilde a honte de mettre un vieux .... pour couvrir ses épaules. Elle s'enfuit immédiatement dehors puis monte, avec son mari, dans une vieille .... à cheval qui les .... chez eux. Quand Mathilde .... son manteau, elle découvre qu'elle n'a plus sa .... M. Loisel part refaire le trajet .... pour retrouver le bijou.

Vrai ou faux ?

	VRAI	FAUX
a. Mathilde n'aime pas danser.	❑	❑
b. Mathilde a une belle fourrure à mettre sur ses épaules.	❑	❑
c. Mathilde a honte de porter un vieux manteau.	❑	❑
d. Mathilde n'a plus sa rivière de diamants.	❑	❑

Relisez la deuxième partie et répondez aux questions.

a. Pourquoi Mathilde s'en va-t-elle très vite du bal ?

....

b. Comment les Loisel rentrent-ils chez eux ?

....

c. Une fois rentré chez lui, pourquoi monsieur Loisel sort-il dans la nuit froide ?

....

....

d. Pourquoi Mathilde est-elle sans force ?

....

Retrouvez les mots et expressions contraires.

Être fière de •   • enlever

S'endormir •   • retrouver

Mettre •   • se réveiller

Perdre •   • avoir honte de

Vide •   • plein

TROISIÈME PARTIE

Les dettes*

Son mari rentre vers sept heures sans le collier. Le lendemain, il va à la Préfecture de police pour faire une déclaration de perte, puis il publie une petite annonce dans les journaux pour promettre une bonne récompense* à la personne qui va retrouver la rivière de diamants.

Pendant ce temps, Mathilde reste assise toute la journée à attendre le retour de son mari et du bijou.

Ce soir-là, quand Loisel rentre enfin, il est tard et il a l'air fatigué.
– Écris à ton amie que le collier est cassé et qu'il est chez le bijoutier* pour être réparé. Nous allons avoir ainsi du temps pour le retrouver, dit-il tristement.

Il dicte la lettre car Mathilde est trop angoissée* pour penser.

Mais une semaine plus tard, le couple est toujours sans nouvelles du bijou. Loisel semble maintenant beaucoup plus vieux qu'avant.

Maintenant, on ne peut plus attendre, il faut remplacer le collier.

Ils vont de bijoutier en bijoutier mais il n'y a pas de rivière de diamants semblable au bijou de madame Forestier.

C'est dans une boutique du Palais Royal[1] qu'ils trouvent enfin des diamants qui ressemblent aux diamants du collier de leur amie. Ce collier coûte quarante mille francs[2]. Le marchand baisse son prix, ils l'obtiennent pour trente-six mille francs.

Loisel possède dix-huit mille francs[3] donnés par son père. Il emprunte le reste à différentes personnes. Il sait qu'il va consacrer toute sa vie à rembourser* ses dettes.

Mathilde met la nouvelle rivière de diamants dans une boîte et la porte chez madame Forestier.

Tu me rends ce bijou avec beaucoup de retard !

---

1. Le Palais Royal : ensemble de bâtiments construits en 1633 à Paris, près du Louvre.
2. Une somme énorme de nos jours : 115 853,65 euros.
3. 52 134,14 euros.

Mathilde n'ouvre pas la boîte. C'est préférable. Si madame Forestier voit que ce n'est plus le même collier qui est à l'intérieur, que va-t-elle penser ? Elle va croire qu'elle est une voleuse★ !

Maintenant, il faut payer l'énorme dette : le couple renvoie la femme de ménage, change d'appartement et va habiter dans une petite chambre sous les toits. Mathilde s'habille comme les pauvres, marchande★ les prix pour la nourriture, va chercher elle-même l'eau à la fontaine, fait le ménage, etc.

Après sa journée de travail, son mari est comptable* le soir chez un commerçant et, la nuit, il recopie des documents pour quelques sous[1] la page.

Et cette vie dure dix ans. En effet, au bout de dix ans, la dette est remboursée.

---

1. 0,72 euros.

Pour comprendre la troisième partie

Complétez le résumé avec les mots suivants : *collier, femme de ménage, remboursées, fatigués, emprunter, chambre, nuit, prêtée.*

On ne retrouve pas la rivière de diamants .... par madame Forestier à Mathilde. Les époux Loisel sont désespérés.

Ils doivent .... beaucoup d'argent pour acheter un nouveau .... Ils doivent changer d'appartement et ils habitent maintenant dans une petite .... sous les toits. Ils n'ont plus assez d'argent pour payer la .... et c'est Mathilde qui porte les seaux d'eau.

Monsieur Loisel travaille jour et .... Au bout de dix ans, les dettes sont .... mais les Loisel sont .... et ils semblent vieux.

Vrai ou faux ?

	VRAI	FAUX
a. Les Loisel retrouvent immédiatement une rivière de diamants semblable au bijou de madame Forestier.	❑	❑
b. Le nouveau collier est très cher.	❑	❑
c. Mathilde engage une nouvelle femme de ménage.	❑	❑
d. Il faut 10 ans aux Loisel pour rembourser leurs dettes.	❑	❑
e. Monsieur et madame Loisel semblent toujours jeunes.	❑	❑

Retrouvez les mots ou expressions contraires.

Exemple : beaucoup / peu

Fatigué •   • bon marché

Jeune •   • trop

Cher •   • en forme

Pas assez •   • vieux

Charade.

Mon premier signifie *parle*.
Mon deuxième est une forme du verbe *avoir* au présent.
Mon troisième ne dit pas la vérité.
Mon tout brille et coûte très cher : ....

QUATRIÈME PARTIE

La vérité

Mme Loisel est laide* et semble vieille maintenant. Ses mains sont rouges parce qu'elle travaille dur, ses cheveux sont mal coiffés, ses jupes sont vieilles et usées, et elle parle fort comme les femmes du peuple. Quelquefois, elle s'assoit à sa fenêtre et elle rêve ; elle rêve à ce bal, elle se souvient de sa beauté, de son succès auprès des hommes, elle se souvient de la parure. Elle cherche à imaginer sa vie sans l'existence de cette parure… Comme il faut peu de choses pour être condamné au malheur !

Un dimanche, comme elle se promène sur l'avenue des Champs-Élysées pour se distraire* et oublier le difficile travail de la semaine, Mathilde aperçoit une femme avec un enfant.

Mais c'est Jeanne, c'est Jeanne Forestier !

En effet, c'est madame Forestier, toujours jeune, toujours belle et séduisante⋆ qui se promène avec son enfant. Mathilde est extrêmement émue. Va-t-elle lui dire la vérité au sujet de la rivière de diamants ? Oui, maintenant que tout est remboursé, elle peut tout lui raconter.

Mathilde s'approche. Jeanne ne la reconnaît pas.
– Bonjour Jeanne, dit timidement madame Loisel.

Madame Forestier est étonnée. Que veut cette pauvre femme ?

– Oh, Mathilde ! C'est toi ?

– Oui, c'est moi, après une vie très difficile, à cause de toi !
répond Mathilde sans agressivité.

– À cause de moi ? Mais je ne comprends pas ! s'exclame
Jeanne Forestier, étonnée.

– Tu te souviens de la rivière de diamants pour le bal du
Ministère ? demande Mathilde.

– Oui, elle est chez moi.

– Non, c'est une nouvelle rivière de diamants qui est chez
toi. Je ne sais pas où est l'autre. Voilà dix ans que nous payons
la nouvelle parure, dit la pauvre femme.

Jeanne Forestier, très émue, pâlit et prend les deux mains de
Mathilde :

– Mais Mathilde, le collier emprunté, c'était une fausse rivière
de diamants ! Elle coûte au maximum cinq cents francs.

Pour comprendre la quatrième partie

Complétez le résumé avec les mots suivants : *à cause du, fausse, maximum, mal, toujours, rencontre, est*.

Mathilde .... laide maintenant. Ses cheveux

sont .... coiffés, elle a l'air vieille. Un jour,

elle .... madame Forestier et son enfant qui

se promènent aux Champs-Élysées. Jeanne Forestier est

.... belle. Elle ne reconnaît pas immédiate-

ment son amie. Mathilde lui raconte sa vie difficile et malheureuse

.... collier perdu. Jeanne est très émue : la

rivière de diamants empruntée était .... Son

prix ? Au .... cinq cents francs !

Répondez aux questions.

a. Pourquoi Mathilde a-t-elle l'air vieille ?

....

....

b. Pourquoi madame Forestier ne reconnaît-elle pas immédiatement son amie ?

....

....

c. Pourquoi Jeanne Forestier est-elle toute pâle et très émue quand Mathilde lui raconte sa vie ?

....

....

d. Quel est le sentiment du lecteur quand il apprend le prix de la fausse rivière de diamants ?

....

....

Entourez les mots qui expriment un sentiment.

tristesse – train – ému – peur – désespoir –

voiture – amitié – détester – malheureux –

étonné – gros – aimer – coiffé – horreur –

étonnement – maison – vélo – regret – joie

Retrouvez dans le texte les mots ou expressions contraires.

Se reposer ....

Belle ....

Vraie ....

Se souvenir ....

Au minimum ....

Bonheur ....

Angoissé(e) : inquiet(ète).

Asile (un) : hôpital pour les malades mentaux, les fous.

Avoir l'air : paraître, sembler.

Bal (un) : fête où l'on danse.

Bijoutier (un) : personne qui fabrique et vend des bijoux.

Bizarre : étrange.

Bon marché : pas cher.

Brave : gentil, bon.

Coffret (un) : belle boîte.

Comptable : personne qui s'occupe des comptes d'une autre personne.

Conviction (la) : enthousiasme.

Dette (une) : argent qu'on emprunte et qu'il faut rendre.

Distraire (se) : se divertir, s'amuser.

Emprunter : utiliser gratuitement pendant quelque temps quelque chose qui ne nous appartient pas.

Énervé(e) : agacé(e), en colère.

En extase (être) : en admiration.

Enfuir(s') : partir très vite.

Époux(se) : personne mariée à une autre.

Étonné(e) : surpris(e).

Femme de ménage (une) : femme qui reçoit un salaire pour nettoyer la maison d'une autre personne.

Fourrure (une) : ici, manteau fait avec la peau d'un animal qui a des poils.

Gracieuse : qui a du charme, de l'élégance.

Instruit(e) : éduqué(e), qui a fait des études.

Laid(e) : pas beau (pas belle).

Logement (un) : ici, appartement.

Marchander : négocier, faire baisser le prix.

Modeste : pas riche.

Nouvelle (une) : roman très court.

Pâle : blanc.

Parure (une) : beau collier, ensemble de bijoux.

Prêter : laisser quelque chose à quelqu'un pour un certain temps.

Rassurer : calmer.

Récompense (une) : cadeau pour remercier.

Rembourser : rendre la dette.

Sécher : enlever l'humidité, rendre sec.

Séduisant(e) : qui a du charme.

Soirée (une) : ici, fête qui a lieu le soir.

Souffrir : être mal, avoir mal.

Suicider (se) : se donner la mort.

Trajet (le) : chemin, parcours.

Usé : beaucoup utilisé.

Voleuse (une) : femme qui prend des choses qui appartiennent aux autres.

Édition : Brigitte FAUCARD

Couverture : Grupo ADRIZAR

Illustration couverture : Fernando DAGNINO

Illustrations de l'intérieur : Erik ARNOUX

Maquette et mise en page : ALINÉA

Photo p. 3 : *Portrait de Guy de Maupassant.*

ISBN : 978-2-09-032916-2

N° éditeur : 10122187 - Dépôt légal : juillet 2007

Imprimé en France par EMD S.A.S. - N° 17684